Bonne nuit Dora!

Un livre avec caches

Adaptation : Christine Ricci
Illustrations : Susan Hall
D'après la série télévisée Dora l'exploratrice

Hello ! Je m'appelle Dora. Ce soir, Babouche vient dormir chez moi. Regarde ! Les bébés insectes sont déjà couchés. Peux-tu leur chuchoter « Bonne nuit » ?
Maintenant, chuchote-le en anglais : « *Good night* ».

Attends !
J'entends quelque chose.
Qui fait ce bruit ?
Le sais-tu ?

Il est l'heure de rentrer à la maison ! Nous devons d'abord traverser le Jardin Fleuri. J'entends un drôle de bruit dans les fleurs. Mais qu'est-ce que c'est ?

Bzz
Bzz
Bzz

Oh, j'entends quelque chose derrière la porte de la grange. Qui cela peut-il bien être ?

Écoute ! Il y a quelqu'un caché
dans le buisson !
Qui fait ce drôle de bruit ?

Ouaaah ! Oh ! J'ai cru entendre quelque chose.
Qui fait ce bruit ? Le sais-tu ?

sss
sss
sss

Hé ! Quelqu'un fait du bruit dans la mare. Sais-tu qui c'est ?

Nous sommes presque arrivés à la maison.
Il nous reste juste à traverser ce pont.
Oh, j'entends quelque chose... Qui fait ce bruit ?

Super ! Nous sommes à la maison ! Bonne nuit, Babouche ! *Good night, Mummy !* Et bonne nuit à toi aussi ! *Good night !*